U0060694

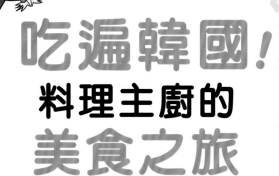

吃遍韓國！
料理主廚的
美食之旅

作者 🌶 acha

漫畫 🌶 Hiramatsuo

笛藤出版
Dee Ten Publishing Co., Ltd.

大家好，我是阿佳（acha）。韓國料理是我的最愛！

我在札幌出生。

因為很喜歡韓食，所以在東京經營一間吃得到韓國料理的小店※

嘿咻

NICE DAY

喀噠

我大約在五年前開始迷上韓國料理。

剛好是我去韓國學做菜的那兩年。

我抵達了距離釜山車程1小時的蔚山。

首爾

蔚山

釜山

蔚山是個規模和仙台差不多的港都，名產是鯨魚。※

每年五月還會舉辦「鯨魚節」

有名的料理是鯨魚肉。

我的落腳處是要和我一起開居酒屋的朋友家。

歡迎歡迎

我到了～

就在我期待著居酒屋早點開幕的某一天

阿佳啊～

菜單要怎麼安排呢？

剛才有位和尚幫我算命，他說「現在不宜開店」。

所以我決定放棄了～

下次再說吧

※鯨魚（고래 ko.lae）鯨魚肉（고래고기 ko.lae.go.gi）、梨子（배 pae）、水芹（미나리 mi.na.ri）、海帶芽（미역 mi. yeok）也都是名產。

4

韓國人遇到重大決定時，會請廟裡的和尚替自己占卜。

嗯～

因為和尚都這樣說了

但是，如果就這樣回去⋯當初那麼多人替我列隊歡送，

打死我都不要！

我怎麼有臉直接回日本！

於是⋯

我決定繼續留在韓國Home Stay，學做韓國料理。

透過朋友的介紹，我去市區的一間餐館「Pobe生菜包飯」打工了。

因為她說想學做菜

拜託您了！

這間店很受歡迎的料理是生菜包飯定食，用了萵苣、芝麻菜等八種菜葉把料理包起來吃。

일본 사람？
（你是日本人嗎？）

괜찮아요※
（沒問題）

我的員工餐永遠都是生菜包飯定食。

많이 먹어～
（多吃一點）

拍拍

※ 韓國人動不動就說「沒關係、沒問題」（괜찮아요 kuan.cha.na.yo.）。大而化之的民族性由這個字表露無遺。生菜包飯（쌈밥 ssam.bab）、多吃一點~（많이 먹어 ma.ni.mo.go）

一份生菜包飯定食差不多會附10種반찬（小菜）：雖然每一道料理看起來都很簡單，吃起來卻相當細緻入味，非常好吃。

用8種左右的菜葉，把飯或小菜包起來吃。

韓式辣味噌湯
된장찌개

滷花生
땅콩나물

煮鯖魚
고등어나물

涼拌香菇
표고버섯나물

涼拌蘿蔔乾
무우말랭이김치

栗子寒天
도토리묵무침

韓式涼拌南瓜
호박나물

我的最愛

豬肉炒青菜
제육볶음

怎麼樣才能做得這麼好吃？我下定決心一定要更認真學做韓國料理。

太感動了⋯

6

話說，住在蔚山的日本人很少，

所以我被當成了稀有動物。

老闆有兩個讀國中的女兒

？

卡嚓

沙
沙

轉頭

因為覺得太稀奇，竟然用我的照片當作手機桌布…

這兩個女孩子是傑尼斯迷，對嵐更是著迷。

松本潤

光是用漢字寫名字給她們看，兩個人就興奮得不得了。

不過她們也會利用到店裡幫忙的空檔

배고파 죽겠어요～※
（肚子快要餓死了）

再說一次

說得再清楚一點

當我的韓文老師

我用日文當作謝謝她們教我韓文的回禮…

讀這次我教妳們寫二宮的名字…

漢字！

※「죽겠어요～（快死了）」是韓國人常用的字。배고파 죽겠어요～（肚子快要餓死了 bae.go.pa. juk.gess.eo.yo）、한 번도（再一次 han.beon.do）、도 확실하게（說得再清楚一點 do.hwak.sil. ha.ge）

※ 如果在韓國和人乾杯，要一口氣喝完才符合禮儀。燒酒（소주 so.ju）下酒菜（안주 an.ju）
魚卵湯（알탕 al.tang）乾杯（건배 keon.bae）爆彈酒（소맥 so.maek）炒雞胗（닭똥집 dak.ddong.jib）

身為日本人的我，在這裡也被當作稀有動物。

你好

東京

好可愛喔

呃

日本人好漂亮

結果有客人從原本的「看待稀有動物之心」轉變成對我的愛意。

我的韓文能力還很有限，實在拒絕不了。

和我約會吧。

我…這個嘛

結果他帶我去一家豆腐鍋很好吃的餐廳

橫衝直撞

開車很猛 ↓

扭

因為他車子開得很猛，回去以後，我發現頸椎還輕微拉傷了…

好痛

頸圈 →

擦 擦

之後，那個人就再也沒到店裡來了…

想到自己都已經在韓國住了快要一年，卻連要拒絕邀約也做不到…為了補強語言的不足，我決定去上韓語課。

後來決定去上首爾延世大學附設的韓國語學堂。

來吧

9

之前一直住在蔚山的關係，我講的韓文好像有蔚山腔…

今天真是冷死我了。

真好吃！

嗯嗯

第一次考試的時候，

你寫的是慶尚道方言※

被老師改得滿江紅…

除了加強語言能力，我也明顯的感覺到，所以也報名了料理課程。

實際住在韓國一陣子後，我也想多學學料理，每個人從早到晚都是活力十足。

很喜歡講話
買手機都會附贈兩個電池

每天都顯得精力十足，甚至讓人覺得根本嗨過頭了；每天用力的笑，用力的生氣，吃很多東西，講很多話。

唱卡拉OK也全力以赴！
跳舞跳不停

情緒來得快也去得快

※ 韓國的行政區域劃分為 8 個道，例如慶尚道、全羅道等。蔚山屬於慶尚道。
慶尚道方言（경상도사투리 gyeong.sang.do.sa.tu.li）

10

所以我很納悶「怎麼會那麼有活力」，後來發現大家的活力來自「韓食」。

料理都是大份量，反正每個人都很能吃。

請給我

卯起來吃

嚼嚼

大口大口

拼命塞

除了肉和大蒜，他們也吃很多含有豐富乳酸菌的泡菜；不論哪一道菜都有大量的蔬菜。我想，因為他們的飲食營養均衡，才能每天過得精神抖擻吧。

所以，就算覺得累，或者遇到不開心的事時，大家只要吃了「韓食」，應該都可以恢復活力吧。

「韓食」是可以為大家的身心帶來力量的食物啊

接下來，我也要造訪睽違已久的韓國，為大家介紹各種能讓人吃得很開懷的韓國料理。

11

吃遍韓國！料理主廚的美食之旅

CONTENTS

※ 價格和體驗內容等等資訊都是以作者當下的經驗為準，有可能會出現變動。

※ 匯率以 1000 韓圜＝約台幣 31 元計算（時間點是 2014 年 5 月、個位數以下四捨五入）

鍾路 5 街

東大門

東大門歷史文化公園

新堂

兒童大公園

江邊

首爾

水原

安東

全州

蔚山

釜山

韓國全域圖

濟州島

狎鷗亭

新論峴

江南

可樂市場

韓食 MAP

首爾市區圖

安國 ●

仁寺洞 🥣

江北

鍾路 3 街 ●

鐘閣 ●

市廳 ●

🥣
金浦機場

● 弘大入口

明洞 🥣

● 新村

● 梨大

🥣
首爾站

● 鉢山

漢江

← 往仁川機場方向

鷺梁津 ●

哩哩

蔚山的韓國風情畫

份量足足有一卡車的醃泡菜

　　這樣的光景雖然在首爾等大都市已經難得一見，但是在蔚山，年底的時候「醃泡菜」可是件盛事。我在韓國Home Stay的時候，也曾幫忙一起醃泡菜。

　　準備工作很繁複，居然從一個星期之前就得開始。第一步是先用手剝掉幾百顆的大蒜皮，然後在動手醃泡菜的前一天，大概會有50顆的鹽漬白菜（為了去除水分，先用鹽巴醃起來）用卡車載過來。卸貨以後，首先得清洗乾淨，接著晾一整天，好將水分瀝乾。還有另一樣作業也同樣在前一天進行，就是製作양념장（醃醬）。韓國的醃醬，除了磨成粗粒狀的紅辣椒，還加了糯米、蒜末、薑、芝麻、高湯（昆布＋白蘿蔔＋沙丁魚）、蝦醬、醃沙丁魚等各種材料。每個地方或家庭的配方都不盡相同，所以做出來的泡菜屬於「我家的味道」。

　　到了醃泡菜的當天，附近的阿珠媽（大嬸）都會到家裡來。等到大家到齊，就開始醃泡菜了。做法是把白蘿蔔、柿子、蔥混入前一天做好的醃醬，再塗在白菜上。約有50顆份量的白菜已經都切成1/4，所以要塗上醃醬的白菜總計約200片。實在是相當費力的作業。我一邊動手塗，眼睛也牢牢盯著獨門不外傳的醃醬配方！

※ 醃醬（양념장 yang.nyeom.jang）

第 1 章
鐵板美食篇

烤肉之王「豬三層肉」

一提到韓國美食，很多人馬上會想到烤肉。首先，我想為大家介紹烤肉之王「豬三層肉」。

韓國人吃烤肉的話，比起牛肉他們更常吃豬肉喔※

滋——

滋——

我最愛吃烤肉了！

噗噗

只要想到一咬下，三層肉的肉汁立刻在口中流竄，口水都要滴出來啦……

所以，我和留學時候認識的朋友金先生約好一起去吃烤肉。

他在首爾經營日式居酒屋。

歐巴！

阿佳～

※韓牛（한우 han.u）是韓國的國產牛，價格和日本的國產牛一樣很貴，大家只有遇到值得慶祝的紀念日才捨得吃。豬三層肉（삼겹살 sam.gyeob.sal）

18

在歐巴的安排下，我們來到位於新論峴站的「白種元元祖包飯論峴本店」。

好！我們今天一定要吃個痛快！

好多人在排隊喔～

嗯…怎麼辦要跟著排嗎？

基本上韓國人很討厭排隊

即使如此，還是願意耐著性子排隊的話，代表這家店保證好吃。

店家會發號碼牌

等了三十分鐘，終於可以進店。我們馬上點了「生菜包飯定食」。兩人份18,000韓圜（台幣約570元）※

店裡好熱鬧啊！

여기요～
（不好意思～）

才點好菜，肉和小菜就送過來了。

這間店讓我最滿意的理由是

※ 基本上，烤肉、火鍋、定食等都是兩人份以上才可以點。

用來包肉的生菜居然多達三十種。

除了必備的萵苣、荏胡麻葉、青辣椒※，還有甘藍、芝麻葉、芥菜、紅芥菜、甜菜葉、青江菜等許多不常見的蔬菜。

有好多從來沒看過的菜喔。♡

這裡的五花肉不是厚片，而是像用刨刀刨成薄薄一片。

流口水

烤之前，放進裝了特製醬汁的大碗浸泡。

一股腦的倒進去

醬汁

阿佳，你要多吃一點噢！

滋滋
滋滋
滋滋

最後只要通通放進去烤，通通吃掉就對了！

哇♡

※青辣椒分成「매운고추（mae.un.go.chu會辣的辣椒）」和「안 매운고추（an.mae.un.go.chu不辣的辣椒）」。不敢吃辣的人，可以和服務生講看看「안 매운고추 주세요（an.mae.un.go.chu.ju.se.yo請給我不辣的辣椒）」。

韓國是女士優先的國家，所以如果和男性一起去吃烤肉，對方會烤給你吃。

要用哪一種菜包起來呢※

選擇也成了一種樂趣。♪

嘶 嘶

好燙 好燙

我要開動了

一口吃下

阿佳，烤好囉～

味道真的有夠讚。肉很薄，只要一下子就烤好了，所以得馬上吃掉才行。因為這個關係，吃起來有點匆忙。

歐巴，你能不能烤慢一點啊。

啪啪啪啪

滋滋

可以吃到這麼多蔬菜，好健康噢。

阿佳，你再多吃點。

可是，他還是不顧我的請求繼續烤。

包起來 包起來

塞得太進來，感覺我都要咬到他的手指了…

韓國人只要彼此交情夠好，就算不是男女朋友，大家都會如此餵對方吃。

而且他還會像這樣送到嘴邊餵我吃。

嘴巴張開

※只要吃得下，蔬菜都可以免費追加。我要開動了（잘먹겠습니다 jal.meok.ge.sseum.ni.da）

※基本上，男性或輩分較高的人會買單。如果是朋友之間，大家會輪流買單，例如「這攤我出」。
吃得好飽喔～（배불러요 bae.bul.reo.yo）

我們這次去吃的五花肉是薄片，不過還有其他吃法，所以我想為大家多介紹兩間。

下次再來喔！

第二間是位於我以前住過的新村站的「盜賊」。

在這間店吃得到厚度是一般店家三倍的五花肉。

呀呀♡

刃削三層肉
（兩人份22,000韓圜
約台幣700元）

等到兩面都烤得焦脆香酥，店員會幫忙剪成一口大小。

滋滋

接著依照喜好搭配萵苣或蔥絲小菜一起吃。

這裡的蔥絲小菜很好吃↓

※蔥絲小菜（파절이 pa.jeol.ri）

23

滿滿的肉汁!!
事先用各種
香草調味的關係,
吃起來很清爽,
好像不論多少
都吃得下。

表面烤得
酥酥脆脆

也卻烤明
不一肉明
油點,是
嘔

一口塞進
嘴巴

呼呼

請給我炒飯

總而言之,
這頓飯
讓我吃得
心滿意足。

我強烈推薦大家
請店家用烤肉
剩下來的油脂炒飯,
為這餐畫下完美句點。

嗯
超好吃!

炒炒

最後介紹一間比較
特別的五花肉烤肉店,
就是位於鐘閣站的
「糕三時代本店」

至於是
哪裡特別呢…

看起來好好吃~

滋
滋

BentoRANG

不管夏天還是冬天都要吃鍋

※ 我和申素妍小姐是透過學習日語的韓國人社團認識的。韓式小鍋（찌개 jji.gae）、鍋物料理（전골 jeon.gol）

申小姐是鞋店的老闆※
雖然她是韓國人，
但我都用她的日文
綽號「小南」叫她。

小南，我們今天要大吃特吃噢！

我可是空著肚子來的。

我們來到位於新村站附近的『孔陵一隻雞』。

我以前留學的時候常常來呢！

所謂的一隻雞，就是豪邁放進一整隻雞的火鍋。

全雞18,000韓圜（約台幣550元）

杏鮑菇 ↑

蔥 ↗

닭 한 마리 공릉
Tel. 393-9599
닭한마리

※她家的鞋子都設計得很可愛！http://www.hongsis.com/上樂天也買得到喔。
一隻雞（料理名稱）（닭한마리 dak.han.ma.ri）

當然我們不是整隻拿起來啃啦。店員會用剪刀，俐落的把一整隻雞大卸八塊。

喀嚓
喀嚓
啪滋
啪滋
啪滋
啪滋
啪滋
喀嚓
喀嚓
喀嚓
←雞翅
↑雞翅
一半

太厲害了

不過，也有些人會從一開始就把醬汁、佐料等放進鍋裡煮再吃。

泡菜我也放進去囉。

要不要多放點醬汁？

隔壁就是放進去煮耶。

接著把大蒜和辣椒放進醬油，調配出自己喜歡的蘸醬就可以蘸著吃了※

在韓國吃烤肉就像吃速食一樣，大家都是狼吞虎嚥，和日本的吃法相差很多。

不過，전골（涮鍋）的吃法和日式火鍋幾乎相同。

大家不必吃得那麼趕，可以邊聊邊吃，所以我覺得很適合女孩子來吃。

欸，我說小南啊，你不敢吃辣嗎？

哇哈哈

太辣會讓我冒火啊！！

怒

和日式火鍋一樣，最後用「麵條」或「鹹粥」收尾。

咕嘟—— 啪滋

↑ 粥 打個蛋花，最後撒上海苔

兩種都很好吃，好難決定喔。

啊～

咻咻 咕溜

↑ 刀削麵

嗯⋯刀削麵好了！！

呼 呼

Ya！

擊掌

呵 呵

距今3年前

딱볶이 타운

我們一起去了位於新堂站的「辣炒年糕街」。

其實我和小南也曾一起去吃過「辣炒年糕鍋」⋯

好久以前的事啦～

乾杯

哇，鄭埻夏也來過耶～※

오

아이러브 ILOVE SINDANGDONG

辣炒年糕街的辣炒年糕店一間接一間；我們去的是「I Love 新堂洞（아이러브 신당동）」。

※鄭埻夏是主持、戲劇雙棲藝人。我是他的超級粉絲。
刀削麵（칼국수사리 kal.guk.su.sa.ri）粥（죽 juk）

店裡的招牌料理是「新堂洞辣炒年糕鍋」兩人份11,000韓圓（約台幣350元）。甜甜辣辣的湯頭裡，有韓國黑輪、Q冷麵、泡麵、煎餃、蛋等等。

呼—呼—

這個味道會讓我上癮！

配啤酒也超搭的

噗哈

呼嚕 呼嚕 呼嚕

我推薦一定要點份豬血腸和紫菜包飯搭配辣炒年糕鍋一起吃。

豬血腸可以沾鹽吃，或者加到鍋裡一起煮！

豬血腸裡面包了冬粉、糯米等餡料，外觀雖然看起來有點嚇人，吃起來卻是軟軟QQ的很好吃。

好好吃喔 QQ

辣炒年糕鍋真好吃！

稀哩呼嚕

對啊

最後再介紹幾種不同的火鍋。

牛腸火鍋

位於鐘閣站的「薛奶奶牛腸火鍋」的「牛腸火鍋」兩～三人份35,000韓圓（約台幣1,100元）

可以吃到大量蔬菜，很健康。

明明是內臟，吃起來卻一點也不腥。

吃起來一點腥味都沒有。沒想到泥鰍也可以這麼好吃。

嘿，你不知道喔

韓國人覺得疲勞的時候，常常吃泥鰍湯。已經磨成泥的關係，連骨頭都可以吃下去※

位於新論峴站的「原州泥鰍湯」的「泥鰍已磨成泥的泥鰍湯」兩人份16,000韓圓（約台幣500元）

咕嘟　咕嘟

泥鰍湯

哇，好殘忍！！

視覺的震撼效果雖然很強烈，但是真的很好吃，有興趣的人，請務必挑戰看看。

你還不是在看

咕嘟咕嘟

位於鐘閣站中兩「仁寺章魚鍋」的「章魚鍋」兩～三人份40,000韓圓（約台幣1260元）。鍋裡放的是活生生的章魚。

章魚鍋

活的章魚沙西米很好吃喔

蠕動

還活著→

※ 泥鰍有滋補強身的效果，對美容和改善宿醉都很有幫助！

▶ 韓國的寸棗@
1200韓圓
（約台幣38元）

口味不過甜，
吃得出濃濃的
花生香味。

▲ 起士三明治餅乾@
1920韓圓（約台幣60元）

 糖果篇

▼ 辣雞腿餅乾@890韓圓
（約台幣28元）

▶ 巧克力@1500韓圓
（約台幣48元）

可可亞56%
也有可可亞72%
韓國最常見的巧克力

又酥又脆的辣口味！
很適合配啤酒…

以前留學的
時侯常常吃

▲
巧克力餅乾@
1600韓圓（約台幣50元）

32

▶ 烤魚片 ⓑ
1000韓圜（約台幣31元）

辣味

香酥爽脆的
口感讓我一吃
就停不下來！

購買地點
ⓐ Grand Mart（그랜드마트）新村店
ⓑ 韓國大創

花生味

原味 →

◀ 韓式甜煎餅粉 ⓑ
3000韓圜（約台幣93元）
※買回去自己DIY

煎餅餅乾 ⓐ
2500韓圜
（約台幣80元）

口感紮實
濕潤，
花生餡很
美味！！

加熱再吃也很好吃 ♡

〈作法〉
① 把酵母粉、煎餅粉倒入溫
水裡和勻。
② 把麵皮分成一小塊一小塊，
在裡面包入甜餡料之後搓圓。
③ 倒入沙拉油熱鍋，放入煎餅，
以邊壓邊煎的方法把兩面煎熟。

養生的「Well-being」料理

韓國料理其實很健康。不論哪一種都吃得到很多蔬菜。

即使是吃烤肉，韓國人吃的生菜其實比肉還多，而且調味基本上也是少油少鹽，很符合健康概念。

韓國把養生的食物稱為「웰빈」。

總而言之，就是吃了會健康的料理啦。

是Well being的簡稱

雖然我覺得韓國料理都很健康，不過還是想為大家介紹其中我認為的上上之選。

我們去的是離鐘閣站或安國站都很近的仁寺洞。這裡聚集了傳統建築物和文化藝術。

陶瓷專賣店很多，我以前留學的時候也常來買餐具。

현지/후리지 대가/광에품 백화점

留學時期常來的店→

這個放店裡好像不錯耶。

好漂亮喔。

阿佳

這隻小南也來了

※仁寺洞（인사동）in.sa.don

34

我們轉進仁寺洞的一條小巷,來到由「前和尚」經營的素食料理店『山村』。

店內的裝潢和氣氛非常沉穩靜謐。

這是一間很棒的店喔!

好棒的店喔♡

這裡的菜單只有一種,就是『山村套餐』。午餐33,000韓圜(約台幣1040元)。料理都會用精美的器皿盛裝,而且全部都是蔬菜!

好健康喔!

讓我的少女心都甦醒了♡

這裡最受歡迎的料理是「黑豆腐生菜包肉」兩～三人份三萬兩千韓圜（約台幣1000元）

海苔

萵苣等蔬菜

豬肉

泡菜

蚵仔

大蒜

青辣椒

所謂的生菜包肉，就是用蔬菜包著煮過的豬肉等食材的料理。

一整塊豆腐很大，記得要切成小塊。

黑豆腐用海苔包起來很好吃。

食材的種類很多，任意搭配自己喜歡的食材享用，也是一大樂趣。

這個也要

那個也要

我來試試把豬肉、蚵仔和黑豆腐包起來一起吃。

結果放太多料，沒辦法一口吃下去。所以不能太貪心，每一種料都放一點點就好。

...

※ 生菜包肉（보쌈 bo.ssam）

這間店還有另一個賣點，它的白飯是用石鍋煮出來的。

想要吃到美味的「石鍋飯」，需要一點小技巧。先把所有的白飯全部挖出來移到碗裡。

啪啪啪

快快快

再把熱湯倒進沾附著鍋巴的石鍋裡靜置幾分鐘。

熱水會跟石鍋飯一起送過來

咕嚕嚕

韓國人很喜歡吃鍋巴※超市甚至還有賣鍋巴速食湯。

建議當作伴手禮！

味道又香又美味～

感覺好像在吃甜點

全部的料裡吃完後，以剛才放在一旁的鍋巴湯為這頓飯劃下完美句點。

小南，我也要帶你去一間 Well being 的店！

呃…

你說現在嗎…

※有人喜歡到甚至會用平底鍋煎薄薄一層的白飯，刻意做出鍋巴。

我們來到位於金浦機場附近的鉢山車站。離市區有段距離。

轟隆隆——

你到底要去哪裡啊

Taxi

轟——

再從車站搭了約20分鐘的計程車。

周圍都是田地，所以難免讓人有點擔心「真的有餐廳開在這種地方嗎」但是別擔心，真的有。

不會有問題吧？

從一條有可愛小鴨當作路標的小路彎進去，就可以看到鴨肉專賣店「養鴨農場」。

就是這裡

哇，是鴨肉耶。

오리고기就是鴨肉。

鴨肉比雞肉更健康。含有豐富的維生素B。具備利尿、消除水腫、改善焦慮等效果，對女生很好。

把木炭裝在這裡面烤

木板作成的桌子

圓凳

好粗曠的氣氛喔

※ 鉢山（발산 bal.san） 鴨肉（오리고기 o.ri.go.gi）

太豪邁了！！

把一鍋的鴨肉、洋蔥、長蔥、馬鈴薯倒在鐵板上

啊

才點完餐※鴨肉馬上送上來了。

店內的氣氛就像在野外烤肉

用鋁箔紙包起來的鐵板

接下來等等著炭火把湯汁煮乾。煮到湯汁剩下一半時，就可以開動了。

湯汁要收到多乾看個人喜好決定

好想趕快吃喔

快一點啦

還沒好啦

泡菜也放進去囉

隔壁桌還在煮耶。

負責煮鴨肉的爸爸

滋滋滋滋

差不多可以了吧？

咕嚕

咕嚕

無骨鴨肉（兩～三人份）33,000韓圜（約台幣1040元）

※ 沒有日文菜單。請說「請給我無骨鴨肉」（뼈없는 오리 주세요. byeo.op.neun.o.ri.ju.se.yo）點菜。

40

蔬菜吸收了鴨肉的湯汁，好好吃喔。

好燙

啊

因為太好吃了

我下次也要在店裡試做看看。

真不愧是廚師呢

哈哈

等到料吃得差不多了，最後請店員炒一份加了韭菜的炒飯。

請幫我做成炒飯

滋滋

嗶嗶

即使肚子早就被鴨肉餵飽了，但加了鴨肉和蔬菜高湯的炒飯，好吃到讓人一口接一口※

Well being料裡除了有益健康，味道更是沒話說，我實在太喜歡了。

※不會說韓文的人，請對店家說「我不會說韓語（저는 한국말못해요. ceo.nuen.han.guk.mal.mot.hae.yo）」、「請幫我叫計程車（택시 불러 주세요. taek.si.bul.reo.ju.se.yo）」、請幫我做成炒飯 복음밥으로 해주세요.（bok.eum.bad.eu.ro.hae.ju.se.yo）

一指就搞定的韓語！

■ 為了保險起見，再確認一次

▶ 請問有中文菜單嗎？
중국어 메뉴 있어요 ？
jung.guk.eo.me.nyu.iseo.yo

■ 聽不懂對方用韓語說些什麼的時候

▶ 我不會說韓文。
한국말 못해요 .
han.guk.mal.mot.hae.yo

■ 看不懂菜單的點菜方法

▶ 請給我最受歡迎的料理○人份。
가장 잘 나가는 거 ○인분 주세요 .
ka.jang.cal.na.ka.neun.geo. ○ .in.bun.ju.se.yu

※ 烤肉基本上只接受 2 人以上的點單。
2 人份　이인분　i.in.bun
3 人份　삼인분　sam.in.bun　4 人份　사인분　sa.in.bun

■ 在烤肉店

▶ 請幫我烤（肉）。
(고기를) 구워 주세요 .
(go.gi.leur) gu.wo.ju.se.yo

▶ 請再多給我一點生菜（泡菜）。
상추 (김치) 더 주세요 .
sang.chu (kim.chi) teo.ju.se.yo

▶ 請幫我追加○人份的肉。
추가로 고기 ○인분 주세요 .
chu.ga.lo.go.gi. ○ .in.bun.ju.se.yo

▶ 請幫我做成炒飯。
볶음밥으로 해 주세요 .
bok.eum.bab.eu.ro.hae.ju.se.yo

■ 在定食餐廳想要續小菜的時候

▶ 請給我這個
　（邊讓對方看碗中剩的內容物）
이거 주세요 .
i.geo.ju.se.yo

■ 在火鍋店

▶ 請給我年糕。
떡 주세요 .　ddok.ju.se.yo

▶ 請幫我煮成粥。
죽 해 주세요 .　juk.hae.ju.se.yo

▶ 請給我麵條。
사리 주세요 .　sa.ri.ju.se.yo

※ 在全雞料理店
▶ 請給我半隻雞（一隻）。
반 마리 (한 마리) 주세요 .
ban.ma.ri (han.ma.ri) ju.se.yo

■ 一般飲食店皆通用

▶ 請問洗手間在哪裡？
화장실 어디예요 ？
hwa.jang.sil.eo.di.e.yo

▶ 請幫我結帳。
계산해 주세요 .　gye.san.hae.ju.se.yo

▶ 請給我啤酒（韓國燒酒）（水）。
맥주 (소주) (물) 주세요 .
maek.ju (so.ju) (mul) ju.se.yo

▶ 看起來很好吃。
맛있겠다 .　ma.si.get.da

▶ 很好吃。
맛있어요 .　ma.si.seo.yo

▶ 很好吃（已經吃完了）。
맛있었어요 .　ma.si.seo.seo.yo

▶ 再見（吃完要走出店外時）
안녕히 계세요 .
an.nyeong.hi.kye.se.yo

▶ 謝謝。
감사합니다 .
kam.sa.ham.ni.da

42

配菜琳瑯滿目！來套韓定食吧

在各種韓國料理之中，我認為必吃之一的是「韓式定食」。

在韓國一提到定食，很多人第一都會想到高級的宮廷料理。

其實，也有價格便宜的家庭式定食。

今天我們去的是午餐時段上班族和OL常常光顧的定食店。

剛好是午餐時間呢！

我們來到市廳站的「妻家」。

就是這裡

체가집

店內的擺設很有家庭的氣氛，裡面擠滿了在附近工作的上班族。

就坐這裡吧

我們才坐下來，根本還沒點餐，小菜就不斷的送過來。

阿珠媽很快的在桌上排出一盤盤的小菜。

好快！

43

點了「黃花魚定食」
7,000韓圓
（約台幣230元）

蘿蔔燉煮鯖魚

味噌鍋

黑豆

魚板

涼拌冬粉

涼拌麻油蔬菜

煎餅

韓式定食的特徵是，一定會附帶堆積如山的小菜。光吃小菜，肚子就可以吃得很飽了。

好吃耶

這裡的小菜真好吃

一間定食屋能不能合格，小菜好不好吃佔了很重要的因素。

我一開始住在蔚山的時候，也被韓國料理的博大精深所感動，原因就是這些小菜※

順帶一提，在食堂負責烹調小菜的阿珠媽被稱為「饌母」。

饌母軍團

鏘

※蔚山的「Pobe 生菜包飯」的小菜最好吃！（參照P6）、饌母（찬모 chan.mo）

不要愛上我喔♪

對於正在學習韓國料理的我而言，饌母有如偶像!!

真的好崇拜

留學的時候，我曾經看到「饌母級!小菜教室」的宣傳單，就立刻報名。

饌母級小菜

小菜是一盤接一盤的端上來。就日本人的立場而言，如果不吃完就太浪費了，所以很希望每一盤的量能夠少一點…

好多好多喔

多吃一點吧

不過「多到飯桌的桌角都被壓斷」正是韓國料理的精神，所以端出多到吃不完的菜餚，是他們的待客之道。

所以就算吃不完也沒關係※韓國人也不會全部吃完，都是只吃自己喜歡的小菜

不吃

每一種小菜都可以續，所以如果有喜歡的小菜，請多吃一點。

大口
大口

吃不完的剩下來，只續自己喜歡吃的小菜也沒問題喔。

※剩下來的小菜大多拿去餵豬。太好了…

「妻家」是一間風格相當平民的餐廳；接著我想介紹時髦，價格又合理的餐廳。

這間也很好吃喔。

是喔

我們來到名牌精品店匯集的貴婦街－狎鷗亭。

這裡有一間高級韓定食的名店「馬鈴薯小屋」，連韓流明星也會光臨。

店內的裝潢很有型，氣氛典雅穩重。

好時尚喔…

這裡是高級的韓定食專賣店，不過午餐時段也提供平價的定食。

看起來精明幹練的商務人士，平常也會吃午餐嗎…

幹練

去的時候是假日

46

定食18,000韓圜（約台幣570元）。用精美器皿盛裝的小菜登場了。

這裡的料理永遠無可挑剔～

這間店用石鍋盛裝的白飯也很有名。

把白飯移裝到碗裡

快快快

用天然泉水煮出來的白米飯，色澤有點偏黃。

鍋巴湯※

咕嘟嘟

店的裝潢雖然很漂亮

可是小菜的份量有點少耶…

絕對沒有這回事

呵呵呵

※鍋巴湯的作法請參照P38。

一開始端上來的只能算是前菜，之後還會上很多道配飯用的小菜。

真的耶。

下次還想嚐嚐其他的高級韓定食。如果能找個精明幹練的男朋友一起來就更好了。♡

大家如果來韓國玩，別忘了嚐嚐韓式定食喲。

不愧是貴婦也會光顧的名店，每道料理的味道都很高雅。

小南其實也是貴婦→

對啊！哈哈。

花18,000韓圓（約台幣570元）可以吃到這樣的味道，實在很超值！

大口吃

大口吃

蔚山的
韓國家庭風情畫

還在熟成中

屋頂的味噌壺

　　在蔚山，和首爾等大都市不一樣，直到現在還可以常常看到鄉村特有的光景和風俗。

　　韓式味噌壺便為其中之一。現在還有很多家庭會自己動手製作味噌。

　　韓式味噌和日本的味噌一樣，主要原料都是黃豆。另外再加上麥子或米等一起發酵。不過，韓式味噌不同於日本味噌的地方是，相較於日本的味噌都是放在倉庫等陰暗的室內使其發酵，韓式味噌是放在外面曬得到太陽的地方。就像照片所示，住在獨棟住宅的蔚山人，就把味噌壺放在屋頂上。壺蓋的材質是玻璃，所以下雨也不怕內容物會被淋濕。而且蓋子的周圍設計成網狀，可以確保通風良好。

　　韓式味噌在充足的日光浴下逐漸熟成。我想，這也是為什麼材料和日本味噌大同小異，風味卻很獨特的原因。

※ 韓式味噌（된장 toen.jang）

韓國美食做法大公開

配料滿滿的 泡菜鍋

材料（兩人份）

・泡菜	120～150 g（份量自行斟酌）
・豬五花肉	100 g
・辣椒醬	2小匙
・蒜泥	1/2小匙
・麻油	2小匙
・水	600cc
・洋蔥	1/4個
・長蔥	1/3條
・板豆腐	1/2塊
・韭菜	1/3把
・生辣椒　1支	（生的韓國紅辣椒※目的是配色，而不是增加辣度，所以不加也可以）
・牛骨高湯粉	視鹹度加1～2小匙
（韓國的調味粉　※沒有就用一般高湯粉）	
・胡椒	少許
・砂糖	1撮

辣椒醬、蒜泥、麻油標示為 Ⓐ

acha's point
鹹度會依照泡菜的份量改變，所以牛骨高湯粉的份量要仔細拿捏。

減少泡菜的份量，放入蛤蜊、花枝、蝦子和板豆腐，最後再打顆蛋下去，就是美味的「海鮮豆腐鍋」了。如果湯頭還有剩 建議做成「焗烤起司泡菜鍋巴飯」，用香噴噴的鍋巴畫下完美句點！

做法

①把豬五花肉切成容易入口的大小，用Ⓐ搓揉入味。

②把洋蔥切成1cm厚，長蔥斜切成段。把豆腐切成容易入口的大小；韭菜切成5cm左右的小段，生辣椒斜切成圈。

③點火加熱砂鍋（或其他鍋子），放入①的豬肉炒熟。炒出香味後，加入泡菜繼續炒。

④加入水600cc、洋蔥、長蔥、豆腐、牛骨高湯粉、胡椒，煮滾後轉中火再煮5～6分鐘。

⑤加入1撮糖、辣椒切片和韭菜，煮熟後就完成了。

※使用醃久一點的泡菜，味道會更為濃郁香醇。

「焗烤起司泡菜鍋巴飯」
用大火加熱剩下的湯頭，再加入白飯稍微煮一下，最後打入蛋汁。撒上起士，再用噴槍炙烤出焦痕就完成了。

※ 如果沒有噴槍，可以用烤箱先把起士烤出焦痕，或者蓋上鍋蓋，讓起士慢慢融化也 OK。也可以依照喜好撒點蔥花或海苔。

第 2 章
血拼美食篇

逛逛首爾規模最大的魚市場

說到韓國的市場，「南大門市場」和「東大門市場」都很有名，但是，真的想飽覽韓國市場精髓的人，請走一趟位於可樂市場站的「可樂洞農水產品批發市場」。

通稱可樂市場。網羅了農產、畜牧產和水產品。是首爾規模最大的批發市場。相當於「首爾的廚房」，留學的時候，我也常常到這裡買東西。

一望無際的廣場可大分為幾個區域。也在韓國，才找得到的專賣乾辣椒的市場。

超市

乾貨

蔬果

← 阿佳

乾辣椒

畜牧產品

蔬菜

順帶一提，市場一大早都是批貨人，顯得熱鬧非凡，但是氣氛也有點忙亂，所以我大多是中午去※

※ 店家不會提供紙袋等牢固的袋子，所以我建議大家自備購物袋，買東西比較方便。南大門市場（남대문시장 nam.dae.mun.si.jang）、東大門市場（동대문시장 dong.dae.mun.si.jang）、可樂市場（가락시장 ka.rak.si.jang）、可樂洞農水產品批發市場（가락동 농수산물 도매시장 ka.rak.dong.nong.su.san.mur.do.mae.si.jang）。

中午到市場的時候，有些店已經休息了，所以顯得非常安靜。

也有些店家的員工正在吃午餐。

鍋子

現場磨好的辣椒粉，味道和香氣完全都不一樣。

嗯，怎麼聞起來又香又甜！很像咖啡的味道耶～

삼성상회 동화청과 중도매인
TEL:407-0900 FAX:401-0901 198

我最主要的目標是乾辣椒的賣場！可以請店家當場磨成粉。

寫著乾辣椒批發 건고추 판ロ

每間店的門口都擺著各式各樣的乾燥辣椒，每一種都堆得像座小山一樣。

雖然光從外表而言，每一種辣椒看起來都一樣，其實辣度都不一樣※

※如果不知如何選擇，我建議選擇高級辣椒「太陽椒」(태양초 tae.yang.cho)！辣度中等，香氣濃郁，非常美味。

購物小常識 ①
決定好要買的東西後，首先問店家「韓國產的嗎」

韓國產的嗎？

是啊

高級辣椒（太陽椒）

韓國人和日本人一樣，也會非國產貨不買。所以問對方是不是韓國產的，可以冒充內行人。

購物小常識 ②
對著大嬸叫歐尼（姐姐）。

歐尼，這個多少錢？

因為你叫我姐姐嘛

害羞

價錢是 600 g 18,000 韓圓（台幣約 570 元）不過我會算你便宜一點啦。♡

謝謝你啦，歐尼。

韓國和日本一樣，女生都希望自己「不管幾歲看起來都年輕」，所以心情一好，優惠可能會多一點。

我再多送你 10 支吧。

請給我調味用的辣椒 600g

好的

韓國辣椒的用途以研磨顆粒的粗細區分。從粗到細分為泡菜用、調味料用※、韓式辣椒醬用 3 種。另外，辣椒的購買單位是「斤」＝600g。

好

請坐在那裡等一下

※ 不光是泡菜，也可以用在涼拌、炒菜等各種料理。「韓國產嗎？（한국 국산 han.guk.guk.san）」
「姐姐，多少錢呢？（언니 얼마에요? on.ni.oer.ma.ye.yo）」、斤（근 keun）= 600g

54

※ 韓國人非常喜歡吃黃花魚。平常會吃黃花魚乾，遇到值得慶祝的大日子時，會買特大尾的黃花魚享用。
總之，黃花魚出場的機會很多。我付現，所以請算我便宜一點（현금으로 드릴테니까 깎아주세요 hyeon.
geum.eu.ro.deu.ril.te.ni.ga.gag.a.ju.se.yo）、明太魚乾（북어 buk.eo）、黃花魚乾（굴비 kul.bi）

※「我全買了，算便宜一點（모두 사니까 싸게 해주세요 mo.du.sa.ni.ga.ssa.ge.hae.ju.se.yo）」也是派得上用場的話。。大叔（아저씨 a.jeo.si）

돌자반

我發現和座墊一樣大的海苔！

5,000韓圜（約台幣155元）

便宜!!
買啦!!

覺得很便宜，所以忘了殺價⋯

超級大!!

接著，我為了買做涼拌菜等料理用的蝦醬，來到了位於水產區一角的蝦醬賣場。

基本上，蝦醬都可以試吃。大家不必客氣，盡量試。

我可以試吃嗎？

可以

每一種都很好吃，一吃就停不下來。

好吃～

是啊

我試吃了很多種，最後買了兩種各300g 4,000韓圜（約台幣125元）。

下次還要再來！

買了鱈魚和章魚的醃胃袋各600g，價格是8,000韓圜（約台幣250元）

好重

※在市場買東西時，店家只會提供普通的塑膠袋，所以如果要帶回國，自己要準備齊全（例如密封罐，避免湯汁漏出來）。我可以試吃嗎？（맛 봐도 돼요？mat.bwa.do.twae.yo）、好吃～（맛있다～ma.sit.da）

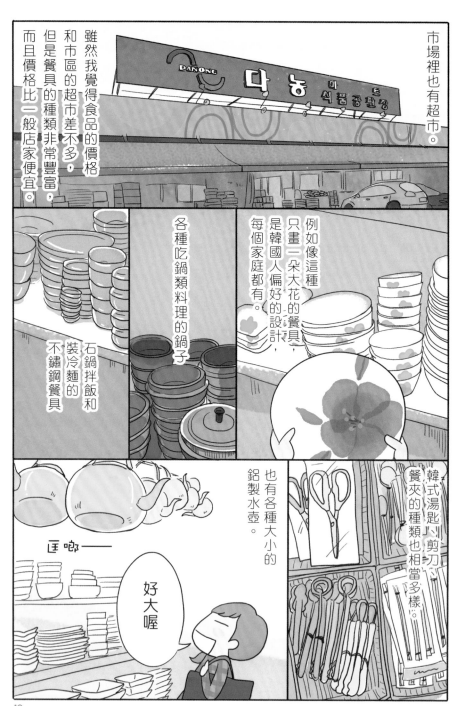

市場裡也有超市。

雖然我覺得食品的價格和市區的超市差不多，但是餐具的種類非常豐富，而且價格比一般店家便宜。

例如像這種只畫一朵大花的餐具，是韓國人偏好的設計，每個家庭都有。

各種吃鍋類料理的鍋子

石鍋拌飯和裝冷麵的不鏽鋼餐具

韓式湯匙、剪刀、餐夾的種類也相當多樣。

也有各種大小的鋁製水壺。

匡啷——

好大喔

※ 韓式湯匙（숟가락 sut.ga.rak）

58

在種類繁多的餐具之中，我建議不妨買幾個不鏽鋼製的密封盒當作伴手禮。不會吸附顏色和味道，所以很適合拿來裝泡菜。

亮晶晶
亮晶晶

大·中·小我全部都買了！

只要來這裡，一定會大包小包的買回去…

謝謝～

最後我想去畜牧區稍微晃一下就好。反正肉製品也不能帶回日本

你好

我平常都會在店裡做菜，已經習慣了，但一般人要進去，可能需要一點勇氣。

一堆～
生肉的味道

隔了好久又來，還是覺得很有壓迫感。

生肉晃來晃去

你好

大力剁下去

呃！

我發現有一個大媽居然就在生肉堆裡睡午覺！向她脫帽致敬了…

一堆～

太強了…

魚市場尚青的海鮮三吃

地標是這個大時鐘

韓國美食大家好像都覺得是肉類居多。其實，韓國的海鮮不但便宜，味道更是一級棒。

去「鷺梁津水產市場」買魚，可以請人現場幫你料理，然後坐下來吃。從鷺梁津地鐵站一出來就是了。

哈哈，歐巴，你被水噴到了。

哇

活跳跳

韓國的魚市場和日本不一樣，賣的幾乎都是活魚。竹簍裡有好多活蹦亂跳的魚。

這次我和金歐巴一起來。市場的一樓是魚市場，地下室和二樓是餐廳。

第一集和我一起去吃烤五花肉的歐巴

好有活力喔～

如果決定好要吃哪家店，首先挑出想吃的魚買下來。

歐巴，我想吃比目魚啦！

鯛魚、比目魚、螃蟹等昂貴的魚是裝在水槽裡販賣。

看起來都好好吃 ♡

※ 可樂市場也有可以用餐的魚市場，但是論規模的話，鷺梁津大很多。
鷺梁津水產市場（노량진수산시장 no.ryang.jin.su.san.si.jang）

※ 很多店家都可以用日文單字溝通，所以不會講韓文的人，就找這樣的店家吧。辣魚湯（매운탕 mae.wun.tang）

燒酒♡
燒酒♡

在魚店把錢付清後，和魚店簽約的食堂※會有人過來帶位。

食堂的計價方式是人數×座位費再加料理費用。

好的

好期待喔

在日本吃不到這麼高級的魚呢。

鹽烤蝦

生大蒜和辣椒

生魚片用的辣味噌，很開胃

醬油帶點甜味加了很多芥末

生魚片用的辣醬（加了辣椒的醋味噌）

鹽烤磯魚

不知道為什麼被對開

生魚片一般會放上生大蒜和青辣椒。

和日本一樣，蘸醬除了味噌和醋味噌，也會蘸哇沙米醬油。

用魚雜做的辣魚湯是人間極品!!

好料全上桌了

哇

坐在食堂的人，每個人都專心對付眼前的海鮮大餐，個個吃得非常痛快。請大家也務必到魚市場走走。

超澎湃的生魚片

堆成小山的蝦子

阿仔山

鮑魚

※食堂的人不會說日語。不過，魚店的人已經告知如何料理，所以只要坐著等，菜就會端上來。

一指就搞定的韓語！

主題：在市場買東西

■市場共通

▶請給我這個。
이거 주세요 . i.geo.ju.se.yo

▶可以試吃嗎？
맛 봐도 돼요 ? mat.bwa.do.dwae.yo

▶我要刷卡。
카드로 계산할게요 .
kha.deu.lo.kye.san.har.ge.yo

▶我付現，所以請算便宜一點。
현금으로 사니까 깎아 주세요 .
hyeon.geum.eu.ro.sa.ni.kka.kkak.a.ju.se.yo

▶請給我一點優待。
조금 서비스 해 주세요 .
jo.geum.seo.bi.seu.hae.ju.se.yo

■請對方幫忙磨辣椒

▶請給我會辣（不會辣）的韓國產辣椒。
국산으로 매운 거 (안 매운 거) 주세요 .
guk.san.eu.lo.mae.wun.geo (an.mae.wun.go).ju.se.
yo

▶請幫我磨成調味用的（當作辣椒醬用的）。
양념용으로 (고추장용으로) 빻아 주세요 .
yang.nyeom.yong.eu.lo
(go.chu.jang.yong.eu.lo) bbat.a.ju.se.yo

※說明辣椒粉的磨法時，韓語的表現方式依照用途區分，而非「粗粒」「細粒」。按照顆粒的粗細，依序用於醃泡菜（김치用으로 kim.chi.yong.eu.lo）、調味料用、辣椒醬用。

▶請給我一斤（600g）。
한 근 주세요 .
han.guen.ju.se.yo
※ 辣椒的購買單位是「근 (斤 guen)」= 600g。

▶我可以只買一半（300g）嗎？
반 근이라도 돼요 ?
pan.guen.i.la.do.twae.yo

▶多少錢？
얼마예요 ? eol.ma.ye.yo

■在鷺梁津水產市場

魚的名稱		蝦子 새우 sae.u
鯛魚 도미 to.mi		海膽 성게 seong.ge
比目魚 광어 kwang.eo		章魚 낙지 nak.ji
鰈魚 가자미 ka.ja.mi		扇貝 가리비 ka.li.bi
秋刀魚 꽁치 gong.chi		蛤蜊 대합 tae.hap
竹筴魚 전갱이 jeon.kaeng.i		魷魚 오징어 o.jing.eo
毛蟹 털게 teol.ge		鮑魚 전복 cheon.bok
松葉蟹 바다참게 pa.da.cham.ge		牡蠣 굴 gul

▶請優待一點。
서비스 해 주세요 . seo.bi.seu.hae.ju.se.yo

▶請幫我做成生魚片。
회로 해 주세요 . hoe.lo.hae.ju.se.yo

▶請幫我把魚雜做成辣魚湯。
뼈다귀는 매운탕으로 해 주세요 .
ppyo.da.kwi.neun.mae.wun.tang.eu.lo.hae.ju.se.yo

▶請幫我烤這些。
이것은 구워 주세요 .
i.geo.seun.ku.wo.he.ju.se.yo

▶請問○○還沒好嗎？（※在餐廳點的菜遲遲不來的時候）
○○ 아직 안 나와요 ?
○○ a.jik.an.na.wa.yo

到當地超市挑選伴手禮

一提到超市，旅遊書最常介紹位於首爾站的「樂天超市」。

但是我比較推薦新村站的「Grand Mart」。

和車站共構很方便！

我以前留學的時候就住在新村，所以常常去 Grand Mart 買東西。

可以買到比較便宜的伴手禮喔。

和樂天超市相比，屬於更「local」的賣場，最大的魅力是價錢比較便宜。

來這裡即使光看不買都覺得樂趣十足。

例如蔬菜賣場有萵苣等各種生菜，大小拿來包烤肉剛剛好。

也有販售生鮮的人蔘。

100g 8500韓圜（約台幣270元），好便宜！只要日本的一半。

做菜要增添甜味時，韓國人除了用砂糖，也常用寡糖，所以貨架上擺了各式各樣的寡糖。

甜味溫和，對身體也沒有負擔。

※把新鮮人蔘和牛奶、蜂蜜一起打成汁，就是養顏美容的「人蔘汁」了。　人蔘（수삼 su.sam）

64

※請注意熱狗等肉製品不能帶回國喔。你要袋子嗎？（봉투 필요하세요？ bong.tu.pil.yo.ha.se.yo）要（네 ne）

超大——

▲ 海苔 ⓑ 5000韓圜
（約台幣160元）

總之一句話
就是大！
（用啤酒罐當比例尺）

▶ 寡糖 ⓐ
2000韓圜
（約台幣65元）

韓國人當作料理
的調味料使用。
甜味溫和，
也有益健康。

我很愛喝♡

← 熬煮型

▶ 豆腐鍋口味
的拉麵 ⓐ
1790韓圜
（約台幣57元）

▲ 玉米鬚茶 ⓐ
1850韓圜（約台幣58元）

66

▶現磨的辣椒粉ⓑ
600g 一萬7000韓圜
（約台幣540元）

高級辣椒
「태양초」
濃郁的
香味

購買地點
ⓐGrand Mart新村店
ⓑ可樂市場

▶鍋巴湯ⓐ
1200韓圜
（約台幣40元）

其他食材篇

用吃泡麵的
感覺喝鍋巴湯

◀紫菜包飯（韓國海苔捲）
用的魚板＆醃蘿蔔ⓐ

剛好拿來做
包飯的尺寸！！

又細又長

韓幣1000元商店!?「韓國大創」

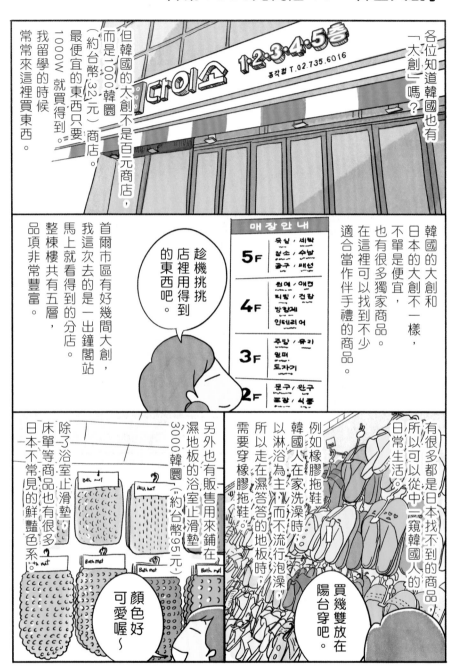

各位知道韓國也有「大創」嗎?

但韓國的大創不是百元商店,而是1000韓圓(約台幣32元)商店。最便宜的東西只要1000w就買得到。我留學的時候,常常來這裡買東西。

韓國的大創和日本的大創不一樣,不單是便宜,也有很多獨家商品。在這裡可以找到不少適合當作伴手禮的商品。

趁機挑挑店裡用得到的東西吧。

首爾市區有好幾間大創,我這次去的是一出鐘閣站馬上就看得到的分店。整棟樓共有五層,品項非常豐富。

매장안내	
5F	욕실 / 세탁 청소 / 수납 공구 / 배선
4F	원예 / 애견 디링 / 건강 방향제 인테리어
3F	주방 / 유리 일퍼 도자기
2F	문구 / 완구 포장 / 식품

例如橡膠拖鞋,韓國人在家洗澡時,以淋浴為主而不流行泡澡,所以走在濕答答的地板時,需要穿橡膠拖鞋。

有很多都是日本找不到的商品,所以可以從中窺知韓國人的日常生活。

買幾雙放在陽台穿吧。

除了浴室止滑墊、床單等商品也有很多日本不常見的鮮豔色系。

另外也有販售用來鋪在濕地板的浴室止滑墊,3000韓圓("約台幣95元")

顏色好可愛喔~

我以前留學的時候，最常光顧的是廚房用品區。因為這裡有很多充滿韓國特色的餐具。

例如我在可樂市場的超市也看過的一朵大花設計的餐具。

這裡也有販售在餐廳常見的水瓶，各種大小都有。

Water garden

吃韓國料理時必備的剪刀、餐夾、韓式湯匙等應有盡有。

店裡要用的湯匙和筷子也在這裡買吧。

這是吃鍋料理用的鍋。3000韓圜（約台幣95元）。其實我店裡現在用的就是這款。

好想再多買幾個喔。

냄비집게

搭配鍋子的提把1000韓圜（約台幣32元）一起買回去，你就可以在家輕鬆煮出泡菜鍋了。

哎呀，我好像變購物台…

69　　※ 只有一朵大花的設計是韓國人很喜歡的圖案。（參照可樂市場的超市P58）

韓國人吃很多蔬菜，所以也賣很多保存蔬菜用的塑膠袋。

這是吃雞腳※時用的塑膠手套。

涼拌菜等需要攪拌的料理很多，所以這裡也賣很多，超薄的塑膠手套，手才不會沾到顏色和味道。

當然，韓國海苔、泡麵、零嘴和沖泡食品等食品類也相當齊全。

材質比較厚的手套也很多。這是醃泡菜時用的手套。

因為如果直接用手去醃，手會被染上色呢。

話說，韓國人是非常愛照相的民族。

在觀光景點常常可以看到這種畫面。

咖嚓

情侶外拍

所以在大創可以用很便宜的價格買到相框（1000韓圜，約台幣32元）。

※「닭발 tak.bar」是辣雞腳料理。（參照P81）

70

從大的到小的，造型可愛的到簡潔俐落的，各式各樣多到數不完!!

買回去把韓國旅行的照片放進去也不錯吧。

每個都很喜歡耶。

後面也是相框區。

化妝品區當然也非常豐富。

卸妝乳剛好用完了，順便補貨吧。

這裡也有賣韓國人常常在家裡敷的石膏面膜1000韓圜（約台幣32元）。

GYPSUM PACK

石膏パック
Маска ГИПСОВАЯ

一份有3個，拆開來送人當禮物也不錯。

便宜又好買，所以常常買到荷包大失血。這就是1000W商店的魔力吧。請大家也要提醒自己不要買太多…

你要袋子嗎？

要

這些要怎麼帶回去啊…

71

韓國美食做法大公開

蔬菜滿點的 韭菜煎餅

一大片（1～2人份）

（麵糊）	・韓式煎餅粉	2 杯半
	・低筋麵粉	1/2 杯
	・蛋	1 顆
	・牛骨高湯粉	2 小匙
	（韓國的調味粉 ※ 沒有就用一般高湯粉）	
	・醬油	1 小匙
	・水	2 杯
（餡料）	・韭菜	1 把
	・蔥	1/2 把
	・洋蔥	1/4 個
	・生辣椒	1/2 支（※ 目的是
	配色，而不是增加辣度，所以不加也可以）	
	・生韓國青辣椒	1/3 支
	※ 改用台灣青辣椒也可以	
（蘸醬）	・大蒜醬油★	2 大匙
	（※ 用醬油也可以）	
	・醋	2 小匙
	・砂糖	1 小匙
	・蒜泥	少許
	・麻油	少許
	・韓國乾燥紅辣椒	少許
	・白芝麻	少許

acha's point
煎餅的作法是半煎半炸，所以沙拉油要倒到5mm深。

做法

① 把麵糊的全部材料放入碗中，用攪拌器仔細攪拌。

② 把切成5～6cm的韭菜段、蔥、切成1cm厚的洋蔥塊放入另一個碗，再倒入1/4～1/3的①混合攪拌。

③ 在平底鍋裡倒入大量的沙拉油，點火熱鍋。在油溫過高之前倒入②，搖動鍋面讓麵糊均勻分布。

④ 灑上切成圈的紅辣椒和青辣椒，開中～大火煎。

⑤ 把底部煎至酥脆後翻面，用鍋鏟壓平繼續煎。

⑥ 等到兩面都煎成金黃色，沿著鍋邊倒入麻油。再煎一會兒，將煎餅裝盤。

⑦ 用食物剪刀把盤裡的煎餅剪成容易入口的大小，再配上蘸醬就可以享用了。

★大蒜醬油的作法是先把大蒜煎過，再浸泡在醬油裡。除了加入韓式煎餅的蘸醬，炒飯、炒菜、調配佐料的時候都可以加，更添風味。把泡過醬油的大蒜切成末，拿來炒飯的滋味也很棒。

剩下的麵糊別浪費，還可以搭配許多食材利用喔。把它當作油炸的麵衣，把食材放進去裹住一層，再放進倒了很多油的鍋子裡煎一煎就好了。照片裡的食材有牡蠣、南瓜、地瓜、蟹味棒、杏鮑菇。

72

第 3 章

酒一杯接一杯！
大人的夜晚篇

快樂地在路邊攤喝一杯吧!

好久不見了~
歐巴!
歐尼!!

阿佳,好久不見

王城哲
金京佑
樺玉容

我住在蔚山※時認識的朋友來首爾找我玩了。

抱緊緊

韓國人都很喜歡喝酒,雖然偶爾也會遇到酒量不好的人,但基本上酒量都很好。

我們決定去鐘路5街站,在我留學時候常去的「廣藏市場」喝酒。

今天要喝個痛快

這裡在白天是賣衣服和賣菜的市場,但到了晚上會有很多賣吃的出來擺攤。

小姐們,這裡有位置喔。

找到了!!

我正在找某一攤

謝謝~

謝謝~

能夠和隔壁桌的食客們把酒言歡,也是路邊攤特有的樂趣。

我們在路邊攤點了，

迷你韓國海苔捲※
3000韓圜
（約台幣95元）

豬血腸
6000韓圜
（約台幣190元）

對了！
這是豬血腸
切片前的模樣

超級大

然後
這是原本
完整的樣子。

膠原蛋白
豐富的豬腳
10,000韓圜
（約台幣310元）。
蘸著醬一起吃。

每道料理的盤子
都包著塑膠袋。
如果吃不完，
可以直接用
塑膠袋打包帶走。

很方便！

塑膠袋

身為好奇寶寶的韓國人，
一知道我是日本人，
哪會放過我。

妳第幾次
來韓國了？

妳什麼時候
來的？

阿佳
妳好
歡迎喔～

哈哈哈

呃，是嗎

呵
呵

我去過
東京喔

※ 因為吃了會上癮所以也稱做「麻藥飯捲」。

英語當然不用說，很多韓國的上班族，也會說一些日文單字。

所以，不會說韓文的人，請務必也嘗試和當地人交流看看吧。

是說在路邊攤幾乎沒有人點啤酒喝。基本上，大家不是喝燒酒就是馬格利。

如果同行的男性不只一位，大部分都是由最年長的人買單。當然沒有各付各的這回事。

下次再來啊

嗯，我下次還會再來。

阿珠媽，我要結帳

年紀最大的 →

廣藏市場除了路邊攤，也有其他很受歡迎的地方。

就是有很多吃得到生肉或生肝料理的店家，通稱「육회（yukhoe）」街（生肉街）。

說到這條街最有名的店家非「자매집（姊妹家）」莫屬。店裡擠到不行。

78

很厚一塊

生肝切得

底下鋪著
梨子絲

「生牛肉」「生肝生牛胃」
各12,000韓圜（約台幣380元）

吃起來滑溜新鮮！而且以這種份量而言，價格有夠超值。

生牛肉要攪拌開來，搭配梨子絲一起吃。

水嫩又有光澤

不論點哪道菜都會附贈熱蘿蔔湯。吃的雖然是冷食，但還是要喝熱湯暖和身體。韓國料理果然很有健康概念。

生肝雖然很厚，但是一點腥味都沒有，吃起來好甜好好吃！

嫩Q

嗯，味道比在日本吃的更好吃～

一口接一口

這個配燒酒很搭耶～

乾杯～！

阿佳，續攤啦！

韓國的夜晚還正熱鬧呢，不知何時才會散場。

一指就搞定
的韓語！

主題：在路邊攤＆卡拉 OK

■在廣藏市場的路邊攤

▶（用手指著想吃的東西）1 人份多少錢？
일인분 얼마예요 ?
il.in.bun.eol.ma.ye.yo

▶請給我○人份。
○인분 주세요
○ in.bun.ju.se.yo

| 1 人份 | 일인분 | il.in.bun |
| 2 人份 | 이인분 | i.in.bun |

▶請給我豬血腸。
순대 주세요 .
sun.dae.ju.se.yo

▶請給我豬腳。
족발 주세요 .
chok.bal.ju.se.yo

▶請給我紫菜飯捲。
꼬마김밥 주세요 .
kko.ma.kim.bap.ju.se.yo

▶請給我辣炒年糕。
떡볶이 주세요 .
tteok.bok.i.ju.se.yo

▶請給我○支黑輪。
오뎅 ○개 주세요 .
o.deng ○ gae.ju.se.yo

1 支	한 개	han.ge
2 支	두 개	tu.ge
3 支	세 개	se.ge
4 支	네 개	ne.ge

▶請給我馬格利酒。
막걸리 주세요 .
mak.geol.li.ju.se.yo

▶請給我韓國燒酒。
소주 주세요
so.ju.ju.se.yo

■在路邊攤＆卡拉 OK

▶1 個小時的消費是多少錢呢？
한 시간 얼마예요 ?
han.si.gan.eol.ma.ye.yo

▶麻煩你，○個小時。
○ 시간 부탁해요 .
○ si.gan.pu.tak.hae.ke.yo

| 1 小時 | 한 시간 | han.si.gan |
| 2 小時 | 두 시간 | tu.si.gan |

▶延長 1 個小時。
한 시간 연장해 주세요 .
han.si.gan.yeon.jang.hae.ju.se.yo

話說，不單是辣雞腳，韓國人非常喜歡雞肉料理。

炸雞也是很常被拿來當下酒菜的料理。

韓式炸雞除了雞腿和雞胸，最主流的作法是把一整隻雞切塊油炸。

點單基本上都以1隻為單位

炸雞最近流行的新吃法會搭配蔥絲。

眾多炸雞店之中，靠近兒童大公園的「배터지는」（파닭建大店（飽餐蔥雞建大店））很有人氣。

宅配用的摩托車叫外送的人也很多

「炸雞」

選了兩盤共17000韓圜（約台幣540元）。一隻雞的份量，看起來就很有震撼力。

也有附薯條

※ 除了一般的原味炸雞，還有咖哩、甜辣和醬油口味，總共四種口味。咖哩口味每一盤要多加1000韓圜（約台幣32元）

順帶一提，最受歡迎的口味是咖哩。

蔥和炸雞真是絕配！
唯一美中不足的是，
蔥絲太長，
吃的時候有點麻煩…

蔥絲會從嘴裡露出來～

吃炸雞，
當然要配
啤酒（啤酒）

冒泡泡

酥脆的麵衣和多汁的雞肉
真讓人欲罷不能。

Max
Droft

咚！

總算把所有的東西
都塞到嘴裡

呼呼
呼呼
呼呼

好吃好吃

接下來我還想為大家
再介紹一種很下酒的
雞肉料理。

四個人吃兩盤，
份量剛好。
如果吃不完就打包吧。

배동차기 파닭

※ 想要打包的時候，向店員說「請幫我包起來（포장해 주세요 po.jang.hae.ju.se.yo）」。

84

那就是炒雞胗。

我在蔚山的燒酒吧打工時，這道菜是店裡的人氣料理。

我在燒酒吧打工的時候發現，韓國人喝酒的時候，習慣一定要邊吃點什麼邊喝。

填酒吧時期的阿佳 →

大家不會乾喝酒，所以我想這也是為什麼即使喝很多，大家還是沒事的原因吧。

肚子吃得快撐死了 ※

OK，接著去唱卡拉OK吧

韓國的夜生活依然沒有要結束的跡象…

走吧走吧走吧

※ 韓國人常講的話。在韓國，吃到肚子飽到不行的時候，請試著說說看「肚子吃得快撐死了」(배불러 죽겠어요 pae.bul.leo.juk.ge.so.yo)。炒雞胗（닭똥집 tak.ttong.jib）

▶ 水瓶 ⓐ
2000韓圜（約台幣62元）

在韓國的
小餐館很常見

▶ 不鏽鋼密封盒子 ⓑ
· 小8400韓圜
（約台幣265元）
· 中10000韓圜
（約台幣316元）
· 大11000韓圜
（約台幣350元）

不會吸附顏色和味道，
很適合用來裝泡菜。

餐具篇

◀ 泡麵鍋 ⓐ
3000韓圜（約台幣95元）

吸
吸

很適合用來煮
泡麵的鍋子。
煮好了可以整鍋
拿起來吃。

◀ 迷你燒水壺 ⓑ
6700韓圜（約台幣212元）

▶ 鍋夾ⓐ1000韓圜
（約台幣 32 元）

把熱騰騰
的料理端
給客人

▼ 吃鍋用的小鍋子ⓐ
3000韓圜（約台幣65元

◀ 韓式筷匙ⓐ3000韓圜
（約台幣 95 元）

有各種花色喔

購買地點
ⓐ 韓國大創
ⓑ 可樂市場裡的超市

幸運草圖案

好
有
fu
喔

◀ 馬格利酒器組ⓑ
· 裝酒的容器4500韓圜
（約台幣142元）
· 酒杯1個1200韓圜（約台幣38元）
· 酒勺1430韓圜（約台幣45元）

感受有如置身
酒館的氣氛

在韓流卡拉OK唱到嗨翻天

我們去的店在梨大站隔壁的新村站一帶。

我以前留學的時候住在新村，離卡拉OK很近，所以決定也去以前住過的地方看看。

我想看看阿佳以前住的地方！

我租的房子就在一整排居酒屋的裡面。

就是這裡啦！

一個小小的房子，月租42萬韓圜。
（約台幣13000元，含水電費）
廚房共用

床
櫃子
淋浴間
廁所
桌子
TV

冬天會開地暖爐※但是房間太小會太熱，反而得開冷氣降溫。

外面好像很歡樂呢…

白天雖然安靜，一到晚上，隨時聽得到卡拉OK的聲音。

好懷念喔～

沉浸在些許的感傷之中，我們前往真正的目的地—卡拉OK。

※韓文是 온돌（on.dol），韓國式的地暖氣。韓國的卡拉OK稱為唱歌房（노래방 no.rae.bang）

韓國人很愛唱노래。

首先在入口購買燒酒啤酒等飲料。

收費不是按照人數，而是用包廂計價，基本上一個小時約20,000韓圜（約台幣630元）

你好 歡迎光臨

其他和日本的卡拉OK幾乎一模一樣。

唱得好嗨喔

嗯⋯

但是一走進去一看，裡面有轉啊轉的水晶燈，燈光也打得很詭異，比日本的卡拉OK炫多了⋯

好久沒有這種感覺了⋯

翻頁點歌

卡拉OK本來就來自日本，所以也有很多日文歌。

點歌的方式也完全一樣

嗶嗶

變身

J POP

Oh My God 26840
Yul 26816
GREEN 26856
26849
Sacrifice 26845
26814
26850
y with me 26853

Darlin
Days
New Sensation 26845
No Border
Prisoner Of Love 26944
Prototype 26347
25855

韓國人對日本歌也很熟。
尤其是《為茱莉亞傷心》※
這首歌更是大受歡迎，
所以常常有人向我點這首歌。

為茱莉亞傷心
THE CHECKERS

我要唱囉

恰恰恰
恰恰恰
恰恰恰
恰恰恰

Heart Break!
Oh my my
my my
Julia～♫

唱得比我
還大聲。

總之就是唱個不停

繼續唱

跳個不停！

Baby！

啊～！！

我愛你～

所以，
我們決定去吃消夜。

唱完已經滿頭大汗，
連酒意也消失無蹤了。

肚子餓了

走吧，
我們去
最後一家！

好耶！
好耶！

好耶！
好耶！

就像日本人喝完酒後要吃拉麵做結尾一樣，韓國的習慣是喝雪濃湯（牛骨湯）。

大家下褟的旅館靠近東大門站，所以我們光顧的是雪濃湯的名店—「欅樹家」。很棒的是這家店是24小時營業。

一人一壺，是要人吃多少啊…

一坐下來，裝著泡菜的大壺便按照人數送了過來。

一進到店裡，馬上看到大叔在煮湯。

雪濃湯8000韓圓（約台幣250元）

是用牛骨和牛筋熬成的湯。裡面還有麵線和牛肉片。端出來的時候都未經過調味，所以吃之前可依照自己的喜好，用桌上的鹽、胡椒、蔥花等調味。

92

和日本吃拉麵的習慣相比，喝雪濃湯健康多了。

乳白色的湯頭一點腥味也沒有，味道溫潤清爽。

用力吃、盡情喝酒、拼命講話、開懷大笑，這就是韓式夜生活。

把飯放進湯裡也很棒！

嗯──

水泡菜

話說，吃太多或喝太多的時候，我建議隔天早上最好吃「水泡菜」，不過水泡菜最主要的目的是喝它的湯。喝了以後，胃會覺得很舒服。

我下次就去蔚山找你們玩啦。

和老友們共度的首爾之夜，終於在此進入尾聲。

下次再見啦

阿佳，加油喔

超級下酒！炒雞胗

材料（2人份）

·雞胗	200g
·大蒜	3 瓣
·青椒	2 個
·生辣椒	(生的韓國紅辣椒 ※ 沒有的話，可以改用甜椒目的是用來配色)1/2 支
·麻油	1 大匙
·鹽	少許
·胡椒	少許
·白芝麻	少許

〔蘸醬〕

·麻油	適量
·鹽	少許
·胡椒	少許

做法

①用酒和粗鹽把雞胗搓洗乾淨。仔細沖洗後，瀝乾水分，再切成容易入口的大小。

②把大蒜切成厚片，青椒切成容易入口的大小。生辣椒斜切成圈。

③用麻油熱油鍋，加入雞胗拌炒。

④炒到雞胗變色後，加入大蒜、青椒、辣椒圈一起拌炒。

⑤把雞胗完全炒熟後，撒鹽和胡椒調味。

⑥盛盤後撒上白芝麻，再配上蘸醬就可以開動了。

acha's point
· 如果不喜歡雞胗的硬皮（硬的部分），可以切掉。市面上也有販售已經處理好的雞胗。
· 雞胗不容易炒熟，所以容易燒焦的大蒜一定要炒到一半再放進去。

第 4 章
出遠門吃美食篇

在馬格利街喝通海

出發囉～

君君　小金　小瀧
純純
佐藤先生

我人在韓國的時候，「Niceday」店裡的常客也到韓國來了。所以我決定扛下導遊一職，大家一起展開兩天一夜的全州之旅。

那當然不能不去囉

首爾（龍山）
大約兩個小時
全州

每個都很愛喝

從首爾的龍山站搭KTX（韓國的高鐵），大約兩個小時可抵達全州。

這裡有一條讓人可以暢飲馬格利的「馬格利街」，堪稱貪杯之人的聖地。

在原產地喝到的馬格利，味道一級棒唷～

全州號稱「沒有難吃的料理」，除了以馬格利聞名，也是著名的美食之都，更是拌飯的發源地。

到了！

馬格利！
馬格利！
馬格利！

首先去嚐嚐拌飯吧。

전주역
Jeonju Station
驛州全
DUNKIN' NUTS

我們來到連米其林指南※
也介紹過的熱門店家
「韓國家」

這裡的定食要價
22,000韓圜（約台幣680元）。
但主食的部分是拌飯，
可說相當超值。

한국집 추천메뉴
22,000원(1인 분)

哇，
連生牛肉
都有！

看起來好好吃

石鍋烤牛小排

← 生牛肉

拌飯 ↓

水泡菜（絕品！）

全州的馬格利是低酒精，
最有名的酒是「母酒」。

雖然
還是白天，
我們來
喝喝看吧。

母酒 ↓

不怎麼
樣耶～

……有一股
肉桂的
味道

我Pass

這批愛酒人士
對母酒的評價不高。

※《米其林綠色指南韓國篇》，從首爾和其他地區約挑選出200間餐廳。拌飯（비빔밥 bi.bim.bab）
母酒（모주 mo.ju）

※ 例如《宮 野蠻王妃》等許多連續劇或電影都在此拍攝過，所以非常有名。韓屋村（한옥마을 han.ok.ma. eul）慶基殿（경기전 kyeong.gi.jeon）全州殿洞聖堂（전주전동성당 jeon.ju.jeon.dong.seong.dang）

98

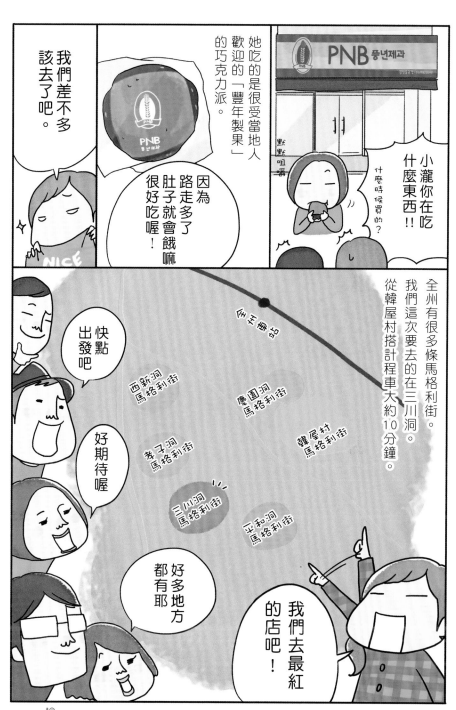

※ 不論哪一條馬格利街的馬格利，都是用 100%的天然岩盤水所釀造。

※ 價錢從第二壺降為一萬5000韓圜。辣煮鯖魚（고등어조림 go.deung.eo.jo.lim）醬醃螃蟹（양념게장 yang.nyeom.ge.jang）

100

乾杯！
開喝囉～

哇！澄酒的味道好清爽好好喝喔!!

會讓人一杯接一杯呢。

咕嘟咕嘟

我們決定第三壺以後，專攻當地人說喝再多也不容易宿醉的澄酒。

店家的作法是只要酒點得愈多，小菜的內容也會跟著升級。所以我們也變得躍躍欲試！

我們要加點

小菜
高級
普通
1　2　3　壺

再叫一壺酒之後，又有好幾盤之前沒看過的小菜端上來了。

喲，是秋刀魚！

好吃

噗哈

我們還要加點

叫了第四壺

是醃魟魚！！

所謂的醃魟魚，就是發酵過的魟魚，堪稱韓國的高級海味。雖然味道非常強烈，但喜歡的人可是欲罷不能。

配泡菜一起吃好好吃～

好臭啊！

最後，我們總共叫了7壺酒，享用了27種小菜。

走吧，我們回飯店繼續喝。

我不行了！

NICE DAY

隔天早上

我們幹嘛特地叫澄酒來喝啊…

暴飲的隔天，我們去吃了也是全州名產的「黃豆芽湯飯」。

我們去的是超級名店「三百家」。黃豆芽湯飯5000韓圓（約台幣160元）

據說黃豆芽有消除宿醉的效果。

胃都舒服起來了

※ 醃魟魚（홍어 hong.eo）

蔚山的韓國家庭風情畫

home stay 的時候住的權家

全家在生日當天的早上一起吃「海帶湯」

　　遇到家裡有人生日時，韓國人習慣全家在生日當天的早上一起吃海帶湯。

　　此習俗和韓國的產婦習慣在產後吃海帶湯息息相關。因為海帶芽含有豐富的礦物質，不但能淨化血液，也有發奶的效果，所以被視為產後最佳的營養補給品。因此，在生日當天享用產婦喝的海帶湯，等於向生下自己的母親表達感謝之意。

　　話說，很多韓國人都過農曆生日，所以每年的日子都不一樣。我在蔚山那一年過生日的時候，剛好和Home Stay家爸爸的農曆生日是同一天（4月4日），所以很榮幸的和他們全家一起喝海帶湯。海帶湯的作法是先把少量牛肉（或魚肉）和海帶芽炒過後水煮，用다시다（韓國的調味料）、高湯醬油、蒜泥、胡椒調味，最後再加入蔥花。海帶湯都是由其他人煮給壽星喝的，而我喝的是Home Stay家的媽媽煮的。謝謝妳一大早起來煮海帶湯給我，辛苦了！

※ 海帶湯（미역국 mi.yeok.guk）

厚切多汁的肉排！「水原牛小排」

我在首爾和千春見面了。

好久不見～

聽說歐尼來韓國了，所以我決定從長崎過來玩。

千春是住在長崎的公務員。

她和我一樣，也曾經在延世大學附設的語言學校學韓文。

年紀比我小，所以總是叫我姐姐。

我們聊到要不要離開熟悉的首爾，到遠一點的地方玩玩。

千春也是美食愛好者，所以我們決定結伴去牛小排的產地，來趟美食之旅。

好想吃吃看美味的韓牛

水原和二東都是以牛小排聞名的城市。

「水原牛小排」的特徵是牛很大塊，「二東牛小排」的特色是份量很多。

不知道要吃哪一種…好煩惱

二東牛小排　VS　水原牛小排

水原還有世界遺產呢

因為我的這句話，於是水原勝出。

從首爾搭地下鐵，大約一個小時可以抵達水原。

二東

首爾

約1個小時

水原

我們出發囉！

雖然牛小排很有名，但是被列為世界遺產的「水原華城」也很有代表性。

※ 水原華城（수원화성 su.won.hwa.seon）

水原華城從水原車站搭巴士，車程大約是10分鐘。

這座城是朝鮮王朝第22代的王正祖，為了悼念父親所蓋。

城內非常遼闊，一望無際⋯※

嗯⋯怎麼辦呢⋯

全部繞得完嗎⋯

都昰山

の花 水原華城

空蕩蕩

滎滎

那台紅色的東西是什麼⋯

滎滎

這是繞行城內的「華城列車」。只要從東將台上車，就可以到城的中間（應該說是山的中間）。

單程車資是1500韓圓（約台幣55元）。

帶著微微笑意

太棒了，這樣就輕鬆了。♡

※ 在詢問處可以拿到日語地圖。

106

華城列車的車內廣播也有日語版本，等於可以在坐車登上山腰的同時，瀏覽城內風光。

華虹門

華西門

好漂亮的水門

好厚重的城牆呢

除了城，還看得到其他有趣的風景…

那邊有人在…。

看到一對外拍的情侶…

喀嚓喀嚓

真的很喜歡拍照耶

姐姐，有人倒在地上！

不得了

看起來好像沒事…

抱著野餐的心情，坐在城堡的草地上喝醉了，然後倒頭大睡的大叔…

酒瓶

從車窗飽覽各種風光的同時，列車終於抵達城的中間了。接下來我們得靠自己的雙腿前進，目標是山頂上的西將台。

好！走吧！

攻頂後，我們沿著城牆往下走。

下去輕鬆很多耶。

我們行經了據說可以讓願望實現的「孝園之鐘」。

畢竟機會難得，所以我們決定體驗敲鐘。

好！

1
2
3

祈禱我的書可以大賣。

敲鐘體驗必須付費，三次1000韓圜（約台幣32元）。

走了好長一段路，肚子也餓得咕咕叫時，終於來到此行的重頭戲——去吃水原的牛小排。

牛小排

我們來到水原的超人氣店家「佳甫亭」

本館

佳甫亭分為本館和別館兩棟很大的建築物；一到假日，兩間店都擠滿了前來品嚐水原牛小排的食客。

好氣派的建築物喔。

109

我們去的時候是平日，所以沒有預約就有位置坐了。

好期待喔

要點什麼好呢～

來這裡還是要吃調味牛小排吧。

我們要點餐。

有生牛小排和調味牛小排兩種，大家比較常點的是調味牛小排。

不愧是超級名店！自己不用動手，店員全部烤給你吃。

滾動

滋滋

「韓牛調味牛小排」兩人份（270g）37,000韓圓（約台幣1200元）

一整塊肉的氣勢就是不一樣。

110

除了牛小排，種類豐富的小菜也是這家店大受歡迎的原因。

整張桌子都擺滿了小菜。♡

小菜裡面還有辣螃蟹，也太豪華了！！

已經抱著要續盤的打算→ 嘿嘿

等到肉烤到恰當好處，店員就會用俐落的手勢剪成一塊塊。

好看起來好吃

喀嚓 喀嚓

骨頭上的肉也都會幫忙用剪刀剪下來。

喀嚓

喀嚓

太專業了！

沒有肉的骨頭也不錯耶。

吸吮

大力咬

那樣吃也很好吃 但剪下來吃比較優雅啦

首先先不要包生菜，品嚐肉的原味。

口感跟和牛有點像，雖然不是霜降，但是肉味很濃又多汁。

嗯嗯嗯

111

最後吃冷麵來收尾吧。

贊成！

我們喝著燒酒，同時大啖美味的牛小排，又聊了很多以前留學的趣事。

果然冷麵是另一個胃啊。

好吃～

辣度也剛剛好

呀呀呀

「涼拌冷麵」6000韓圜（約台幣190元）

流出

掰掰～

很好吃～

到了叫我喔…

香香欲睡

好想睡

西歪

東倒

走了很多路，吃了好多東西，也喝很多，真是幸福的一天。

到產地嚐嚐正宗的「安東燉雞」

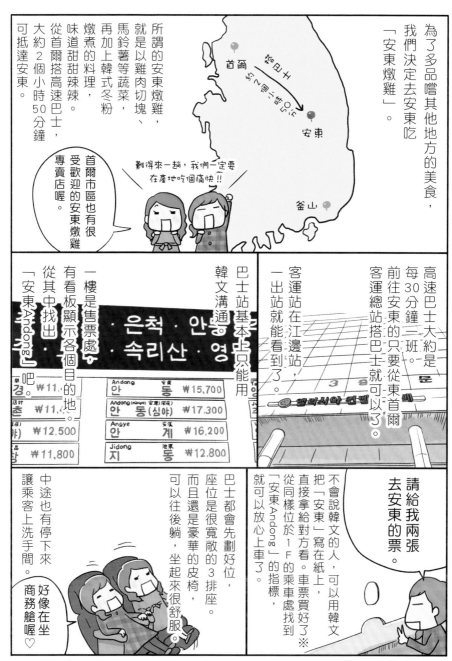

為了多品嚐其他地方的美食，我們決定去安東吃「安東燉雞」。

難得來一趟，我們一定要在產地吃個痛快！！

所謂的安東燉雞，就是以雞肉切塊、馬鈴薯等蔬菜，再加上韓式冬粉燉煮的料理，味道甜甜辣辣。

從首爾搭高速巴士大約2個小時50分鐘可抵達安東。

首爾市區也有很多受歡迎的安東燉雞專賣店喔。

高速巴士大約是每30分鐘一班。前往安東的只要從東首爾客運總站搭巴士就可以了。

客運站在江邊站，一出站就能看到了。

巴士站基本上只能用韓文溝通。

一樓是售票處，有看板顯示各個目的地。從其中找出「安東 (Andong)」吧。

An동(Andong) 安東	안 동	₩15,700
Andong (simya) 安東(深夜)	안 동 (심야)	₩17,300
Angye 安溪	안 계	₩16,200
Jidong 池東	지 동	₩12,800
경	₩11,x	
촌	₩11,x	
가	₩12,500	
품	₩11,800	

請給我兩張去安東的票。

不會說韓文的人，可以用韓文把「安東」寫在紙上，直接拿給對方看。車票買好了※從同樣位於1F的「安東Andong」的指標，就可以放心上車了。

巴士都會先劃好位，座位是很寬敞的3排座。而且還是豪華的皮椅，可以往後躺，坐起來很舒服。

中途也有停下來讓乘客上洗手間。

好像在坐商務艙喔♡

※ 車票上會註明出發時間和座位等資訊。
請給我兩張去安東的票（안동행 두장 주세요. an.don.haeng.tu.jang.ju.se.yo）

巴士開著開著，終於抵達了安東巴士站。

← 山

空氣好清新…

什麼都沒有耶…

從巴士站搭計程車，大約需要10分鐘。

「安東市場」裡整排都是賣安東燉雞的餐廳。

安東구시장 서문
WELCOME TO ANDONG MARKET

好大隻的雞!!

단골상회

一走進拱廊式商店街，左右兩邊都是安東燉雞專賣店。

就對了

認招牌上的雞

안동

KBS

我們決定去號稱安東燉雞第二家的「宗孫安東燉雞」。

每一間店都是在店門口料理。

歡迎光臨

好像很好吃的樣子

要去哪一間呢？

只賣安東燉雞一種料理。

一隻雞和燒酒。

啊，來了來了。

咦？

好大一盤！！

咕嘟咕嘟

安東燉雞一隻25,000韓圜（約台幣800元）。份量差不多4個人吃剛剛好。

嘴巴塞滿了燉得綿綿的馬鈴薯。

豪邁的咬下帶骨的雞肉。

稀哩呼嚕吃著飽吸了雞湯的冬粉。

呼嚕

稀哩

好辣

好好吃～

甜甜辣辣

乾杯!!

中午就開喝。

可能因為還是中午，旁邊的人大多數都不是喝酒，而是可樂之類的碳酸飲料。

雖然還是大白天，但這個還是要配酒才搭啊～

甜甜辣辣的味道和燒酒很合呢～

等到料吃得差不多了，就點碗白飯，淋上燉雞的湯汁。

雞湯拌飯♡

好吃到讓人想一口氣扒完整碗飯。

大口

大口

多謝款待

完食

對兩個女生而言，一整隻雞的份量真的很多。如果沒有信心吃完，不妨點半隻吧。

撐死了

你還走得動嗎？

既然吃得那麼飽，我們不如去河回村吧。

欸？哪裡？

安東不是只有燉雞，世界遺產河回村也是一大亮點。

河回村是個步調緩慢的村莊，從安東市區搭計程車，大約30分鐘可以抵達。

這裡的居民至今仍保持從600年延續至今的傳統生活。

據說，因為河川呈S型包圍著村莊，而被稱為河回村。

安東河回村

洛東江

只要事先預約，會有通日語的導遊免費進行村內導覽。

你們好

清水先生
已經來韓國15年

要麻煩您了。

我們要出發了喲。

好～

空氣好新鮮喔。

讓人懷念的景色
感覺好像來到鄉下的奶奶家。

彷彿只有這個村子
時間是停止的一樣。

發現了謎樣的物體…

這是泡菜壺。
埋在地裡，
等於保存在天然
的冰箱。

我們造訪了全村
最古老的民房「養真堂」。

這裡是
柳時元的祖屋。

聽說柳時元
小時候也常常
到這裡玩耍。

看起來
就像
有錢人
的家…

和敬堂是村裡的大富豪——
北村家的宅邸，
裴勇俊也住過這裡
所以很有名。

目前可提供觀光客住宿。

從這個小洞，把穀物分給為了通過科舉※考試而苦讀的貧窮年輕人。

只要把手伸進這裡，可以得到一餐份量的穀物。

好像真實又口呢♥

立春大吉

建陽多慶

我們看到很多家庭的門上都貼著寫上相同文字的紙，一問才知道，

「立春大吉」是為了祈求一整年順利，「建陽多慶」則含有招福的意思。

村子的中心有一棵樹齡超過600年的大櫟樹，據說被視為村裡的守護神。

好大！

聽說只要把願望寫下來就會實現。

那我要寫「希望料理的手藝能夠進步」…

Power Spot

雖然這種作法好像是從日本人傳開的。

我們發現巨大鞦韆和翹翹板！

是喔…

當時的女性，幾乎一輩子都待在村子裡，不曾外出。

所以她們只能把鞦韆盪得很高，利用這個機會看看別人家；

或者藉由玩翹翹板來消除壓力。

盪高高

※科舉是朝鮮時代的官吏錄用考試。聽說要通過這道窄門相當不容易…

村內幅員遼闊，所以當天來回的我們，只參觀了一半。

對岸健行
可以搭船到

我也好想搭渡船喔。

是啊

假日還有傳統的面具舞蹈表演可以看。

下次請多留一點時間慢慢玩。

下次我想在這裡住一晚。

嗯，謝謝您

路上小心啊

活力十足的首爾逛起來雖然開心，但來到步調緩慢的安東，有一種被療癒的感覺。

回程在巴士站買了特產「安東燒酒」。

這種酒只有受到安東市認可的釀酒名人才能釀造。

安東燒酒
安東
燒酒

← 45度 好烈!!

美食吃了，風景也看了，真是心滿意足。

我已經喝不下去了啦嘻嘻嘻…

好恐怖

難怪在回程的巴士上又是從頭睡到尾…

滋味豐富的 涼拌菜拼盤

材料（兩人份）

【涼拌南瓜】
·南瓜（※ 改用大黃瓜也可以）	1 條
·長蔥	1/4 支
·生辣椒	1/2 支
·蒜泥	1/2 小匙
·새우젓（醃蝦醬　※ 也可以用鹽&蝦米）	
	1/2 小匙
·牛骨高湯粉（韓國調味料※改用一般高湯粉也可以）	少許
·沙拉油	1 大匙
·麻油	1 小匙
·白芝麻	適量

做法
①把南瓜縱切為二，再切成5mm厚的半月形。長蔥、生辣椒切成斜片。
②把沙拉油倒入平底鍋；油鍋熱了以後，加入南瓜拌炒。等到整體都均勻裹附油脂，加入蒜泥、醃蝦醬、牛骨高湯粉繼續炒。
③加入長蔥和生辣椒一起拌炒，再沿著鍋緣淋下麻油。關火，撒上白芝麻。

acha's point
生辣椒的辣味不太明顯，可以拿來當作料理的配色用。

【涼拌香菇】
·香菇	10 朵
·長蔥	1/4 支
·生辣椒　※ 沒有就改用紅色甜椒配色。	半支
·蒜泥	小半匙
·牛骨高湯粉（韓國調味料 ※ 改用一般高湯粉也可以）	少許
·鹽　少許	·麻油　　　1 小匙
·醬油　少許	·炒過的白芝麻　適量
·沙拉油　1 大匙	

做法
①香菇去蒂，切成5mm厚的薄片。長蔥、生辣椒切成斜片。
②把沙拉油倒入平底鍋；油鍋熱了以後，加入香菇拌炒。炒熟後，加入蒜泥、牛骨高湯粉和鹽繼續炒。
③加入長蔥和生辣椒一起拌炒，再沿著鍋緣淋下麻油。關火，撒上白芝麻。

acha's point
除了香菇，也加入磨菇、鴻禧菇等幾種菇類，味道會更好吃喔。

【涼拌菠菜與豆腐】
·菠菜	1 把	·麻油	2 小匙
·板豆腐	1/2 塊	·醬油	少許
·鹽	少許	·白芝麻	少許
·牛骨高湯粉	少許		

做法
①把菠菜清洗乾淨，放入鹽水略為汆燙後，撈起來浸泡於冷水。仔細瀝乾水分，再切成4cm長。
②把豆腐放進微波爐或熱水加熱，用廚房紙巾包起來，吸附水分。
③把菠菜撕成小塊放進碗裡，再加入搗成泥的豆腐。
④加入調味料，攪拌均勻。

acha's point
· 如果想把味道調得重一點，可以加入少許蒜泥。也可以用日式蘸麵醬取代醬油，讓味道稍微帶點甜味，吃起來別有滋味。
· 不論製作哪一道涼拌菜，都有一個共通點，那就是如果先用手指把芝麻捻碎，味道會變得更香。

▲ 煮鴨肉

收尾的炒飯好好吃啊

咕咕咕

Max

驚人的份量

▲ 炸雞

◀ 一隻雞

富含膠原蛋白

我還會再來

阿珠媽的笑容♡

在廣藏市場

잠이슬

生牛肉

廣藏市場的情景

鬧烘烘

人聲鼎沸

生牛肉讚

122

全州的
韓國家

各種小菜

豪華套餐!!

烤肉

拌飯

要拌均
喔勻

不論哪一道
都好好吃

可是又想吃

肚子
好
撐

▼牛腸火鍋

滿滿蔬菜

旅行寫真篇 📷

鷺梁津水產市場

肚子
飽到
不行了!!

我投降

生魚片

倒地

在眼前親宰的
石狗公
↓

123

大家的活力來源是什麼呢？

就是「韓食」。

經過這次的旅行，讓我更如此確信。

因為我自己也變得活力十足。

吸吸

大口塞

好吃

我也想提供大家一吃就有好心情的餐點。

對了，我記得留學的時候買了一大堆韓國料理書…

找到了

我一定得更認真學習

翻翻翻

事不宜遲，從今天起開始研發新菜色。

把書帶去店裡吧。

拿下

NICE DAY

NICE DAY

※ 排骨馬鈴薯湯 (감자탕 kam.ja.tang) 是帶骨的豬肉和馬鈴薯燉煮而成的湯。

店家資訊 ●

韓食通常以兩人共享的份量為主喔！ ₩：韓國貨幣符號。

● 薛奶奶牛腸火鍋_p.31
　　설할머니곱창 seol.hal.meo.ni.gob.chang
　⑩ 鐘閣站

　推薦 牛腸火鍋：₩35,000
　　　곱창전골 gob.chang.jeon.gol

● 原州泥鰍湯_p.31
　　원주추어탕 won.ju.chu.eo.thang
　⑩ 新論峴站

　推薦 泥鰍磨成泥的泥鰍湯：₩16,000
　　　갈아서추어탕 kal.a.seo.chu.eo.tang

● 仁寺章魚鍋_p.31
　　인사낙지골 in.sa.nak.ji.gol
　⑩ 鐘閣站

　推薦 章魚鍋：2～3人 ₩40,000
　　　낙지전골 nak.ji.jeon.go

● 山村_p.35
　　산촌 san.chon
　⑩ 仁寺洞

　推薦 山村套餐：₩33,000
　　　산촌정식 san.chon.jeon.sik

● 獒樹_p.36
　　오수 o.su
　⑩ 仁寺洞

　推薦 黑豆腐生菜包肉：2～3人 ₩32,000
　　　흑두부보쌈 heuk.du.bu.po.ssam

● 養鴨農場_p.39
　　오리농장 o.li.nong.jang
　⑩ 鉢山站

　推薦 無骨鴨肉：2～3人₩33,000
　　　뼈없는 오리 bbyo.eob.neun.o.li

● 本書作者的店_p.2

　　acha's kitchen NICE DAY
　⑩ 日本東京都杉並区天沼３－１１－３
　　モアビルＢ１，荻窪站北口徒歩５分
　　http://www.ameblo.jp/acha-niceday/

● 白種元元祖包飯 論峴本店_p.19
　　백종원의 원조 쌈밥집 논현본점
　　baek.jong.won.eui.won.jo.ssam.bab.jib
　　non.hyeon.bon.jeom
　⑩ 新論峴站

　推薦 生菜包飯定食：₩18,000
　　　쌈밥정식 ssam.bab.jeong.sik

● 盜賊_p.23
　　도적 to.jeok
　⑩ 新村站

　推薦 刀削三層肉：₩22,000
　　　칼삼겹살 khal.sam.gyeob.sal

● 糕三時代本店_p.24
　　떡쌈시대 ttok.ssam.si.dae
　⑩ 鐘閣站

　推薦 年糕泡菜五花肉套餐：₩22,000
　　　떡쌈김치삼겹살
　　　ttok.ssam.kim.chi.sam.gyeob.sal

● 孔陵一隻雞_p.27
　　공릉닭한마리 kong.leung.dak.han.ma.li
　⑩ 新村站

　推薦 一隻雞：₩18,000
　　　닭한마리 dak.han.ma.li

● I Love新堂洞_p.29
　　아이러브 신당동 a.i.reo.beu.sin.dang.dong
　⑩ 新堂站的辣炒年糕街

　推薦 新堂洞辣炒年糕鍋：₩11,000
　　　신당동떡볶이 sin.dang.dong.tteok.bok.i

● 欅樹家_p.92
　느티나무집 neu.thi.na.mu.jib
　地 東大門站

　推薦 雪濃湯：₩8,000
　　　설렁탕 seol.reong.tang

● 韓國家_p.97
　한국집 han.guk.jib
　地 全州

　推薦 拌飯定食：₩22,000
　　　비빔밥 bi.bim.bab

● 龍津家_p.100
　용진집 yong.jin.jib
　地 全州三川洞馬格利街

　推薦 澄酒 맑은술 mak.eun.sul
　　　濁酒（馬格利）막걸리 mak.geol.li
　　　一壺：₩20,000
　　　＊附小菜，越多壺酒越高級，第二壺開始為₩15,000

● 三百家_p.103
　삼백집 sam.paek.jib
　地 全州

　推薦 黃豆芽湯飯：₩5,000
　　　콩나물국밥 khong.na.mul.guk.bab

● 宗孫安東燉雞_p.114
　종손안동찜닭 jong.son.an.dong.jjim.dak
　地 安東

　推薦 安東燉雞：3~4人 ₩25,000
　　　안동찜닭 an.dong.jjim.dak

● 佳甫亭_p.109
　가보정 ga.bo.jeong
　地 水原

　推薦 韓牛調味牛小排：₩37,000
　　　한우양념갈비 han.u.yang.nyeom.gal.bi
　　　涼拌冷麵：₩6,000
　　　비빔냉면 bi.bim.naeng.myeon

● 妻家_p.43
　처갓집 cheo.gat.jib
　地 市廳站

　推薦 黃花魚定食：₩7,000
　　　갈치정식 gal.chi.jeon.sik

● 馬鈴薯小屋_p.46
　감자바우 gam.ja.ba.wu
　地 狎鷗亭站

　推薦 定食：₩18,000
　　　정식 jeong.sik

● 鷺梁津水產市場 現抓現吃海產店_p.61
　노량진수산시장 no.ryang.jin.su.san.si.jang
　地 鷺梁津站

　推薦 計價方式：人數×座位費 ＊海產為時價
　　　座位費：₩2,000 料理費用：₩20,000

● 廣藏市場的路邊攤_p.74
　광장시장 gwang.jang.si.jang
　地 鐘路五街站

　推薦 迷你的韓國海苔捲：₩3,000
　　　마약김밥 ma.yak.kim.bab
　　　豬血腸 순대 sun.dae：₩6,000
　　　豬腳 족발 jok.pal：₩10,000

● 廣藏市場的「生肉街」姊妹家_p.78
　자매집 ja.mae.jib

　推薦 生牛肉 육회 yuk.hoe
　　　生肝＋牛胃 간천엽 kan.cheo.yeob
　　　₩12,000

● 阿峴雞腳_p.81
　아현닭발 a.hyeon.tak.bal
　地 梨大站

　推薦 雞腳：₩12,000
　　　닭발 tak.bal

● 飽饗蔥雞建大店_p.83
　배터지는 파닭 건대점
　pae.teo.ji.neun.pha.dak.geon.dae.jeom
　地 兒童大公園站

　推薦 炸雞：₩17,000
　　　치킨 chi.kin

國家圖書館出版品預行編目（CIP）資料

吃遍韓國!料理主廚的美食之旅 / acha著；
Hiramatsuo插畫；藍嘉楹譯. -- 初版. --
臺北市：笛藤, 2015.03
　　面；　公分
ISBN 978-957-710-645-2(平裝)

1.餐飲業　2.餐廳　3.繪本　4.韓國

483.8　　　　　　　　　　103026913

吃遍韓國!料理主廚的美食之旅

2015年3月24日　　初版第1刷　　定價260元

著者：acha

插畫：Hiramatsuo

譯者：藍嘉楹

總編輯：賴巧凌

編輯：羅巧儀、葉雯婷

編輯協力：王韻亭

封面設計：徐一巧

發行人：林建仲

發行所：笛藤出版圖書有限公司

地址：台北市中華路一段104號5樓

電話：(02)2388-7636

傳真：(02)2388-7639

製版廠：造極彩色印刷製版股份有限公司

地址：新北市中和區中山路二段340巷36號

電話：(02)2240-0333・(02)2248-3904

總經銷：聯合發行股份有限公司

地址：新北市新店區寶橋路235巷6弄6號2樓

電話：(02)2917-8022・(02)2917-8042

劃撥帳戶：八方出版股份有限公司

劃撥帳號：19809050

Dee Ten Publishing Co.,Ltd.

Printed in Taiwan

作者：acha

acha's kitchen「NICE DAY」（東京都杉並區）的主廚兼店主。2007年赴韓學習料理，歷時約兩年。同時也在首爾延世大學附設的語學堂學習韓文。回國後，運用所學，在2009年12月開了acha's kitchen「NICE DAY」。除了韓式料理，也提供泰式料理等口味正宗的東南亞料理。最愛的食物是巧克力。

漫畫：Hiramatsuo

自由插畫家。擅於以獨特的觀點捕捉人間百態，插畫充滿幽默感。活躍於男性雜誌、女性雜誌、商業雜誌、資訊雜誌、網路等各個領域。也曾接受雜誌「週刊女性」的專訪，受邀參加NHK教育電視台「R的法則」。著作（漫畫）包括《新進員工是外國人》（PHP研究所）《一個女生的韓國美食之旅》（中經出版）。